**Le docteur Crook vous parle...**

# des LEVURES

Le docteur Crook vous parle...

# des LEVURES

*par William G. Crook, M.D.*

**Derek**

*Éditeur*
Les Éditions Pierre Derek
250, boul. Industriel
Boucherville (Québec) Canada
J4B 2X4

*Diffusion:*
Tél.: (514) 449-3954
Téléc.: (514) 655-6092

*Titre original*
*Dr Crook Discusses... Yeasts*
Professional Books
© Copyright 1984, William G. Crook, M.D.

*Page couverture*
Clic Communications

*Illustrations intérieures*
Luce Jacques

Les Éditions Pierre Derek

Dépôt légal - 2$^e$ trimestre 1991
Bibliothèque nationale du Québec
Bibliothèque nationale du Canada

ISBN: 2- 89421-022-2

# Table des matières

# Introduction

Les levures, souvent bénéfiques à l'homme, peuvent jouer un rôle dans bien des problèmes de santé déconcertants qui peuvent aller de la fatigue à la sclérose en plaques, en passant par les maux de tête, la dépression, le syndrome prémenstruel, l'hyperactivité et le psoriasis.

Aussi, bien que les levures soient riches en éléments nutritifs, elles peuvent causer des allergies. De plus, le *Candida albicans*, levure qui croît normalement dans le corps humain, peut provoquer un malaise général.

La relation entre le *Candida albicans* et de nombreux problèmes généraux de santé a été décrite pour la première fois par le docteur C. Orian Truss. Ce médecin de Birmingham en Alabama révéla qu'un régime spécial éliminant les levures et une médication antifongique avait soulagé nombre de ses patients*.

J'ai donc suivi ses conseils ainsi que ceux du docteur Sidney M. Baker de New Haven au Connecticut et j'ai pu aider plus d'un millier de patients en difficulté. Des centaines d'autres méde-

---

\*   Le docteur Truss a publié le résultat de ses recherches et de ses découvertes cliniques dans une série d'articles du *Journal of Orthomolecular Psychiatry* (1978, 1980, 1981 et 1984) et dans un livre intitulé *The Missing Diagnosis* (1983).

cins et leurs patients ont pu obtenir eux aussi d'excellents résultats. Cette histoire était tellement passionnante que j'écrivis *The Yeast Connection* qui a d'abord été publié en décembre 1983. Une troisième édition révisée et augmentée comptant au total 434 pages a été publiée en livre de poche en octobre 1986.

Le présent livret est le condensé de *The Yeast Connection*. Il se veut simplement un résumé succint du rôle des levures dans de nombreux problèmes de santé. Si après l'avoir lu, vous pensez que votre état ou celui de vos proches est lié aux levures, vous aurez besoin d'aide et de renseignements supplémentaires.

Lisez d'abord *The Yeast Connection*. Lisez surtout attentivement les questions et les réponses et ce qui concerne les médicaments, le régime, les suppléments nutritionnels et les autres points du traitement dont vous allez avoir besoin pour retrouver la santé.

En page 61 de ce livret, vous trouverez des renseignements complémentaires afin d'obtenir l'aide et la coopération de votre médecin.

# La «filière» des levures,
# un cercle vicieux

Les antibiotiques, en particulier ceux dont le spectre est étendu, tuent les bactéries bénéfiques en même temps que les nuisibles, permettant aux levures (*Candida albicans*) de se multiplier.

Une alimentation riche en sucre, des contraceptifs oraux, de la cortisone ou d'autres médicaments peuvent aussi les stimuler.

Les levures produisent des toxines qui affaiblissent le système immunitaire. D'autres facteurs peuvent affecter défavorablement le système immunitaire provoquant ainsi plus d'allergies, d'infections et de prise d'antibiotiques. Par conséquent, ces problèmes de santé peuvent se prolonger tant que la «filière» de la levure n'est pas interrompue.

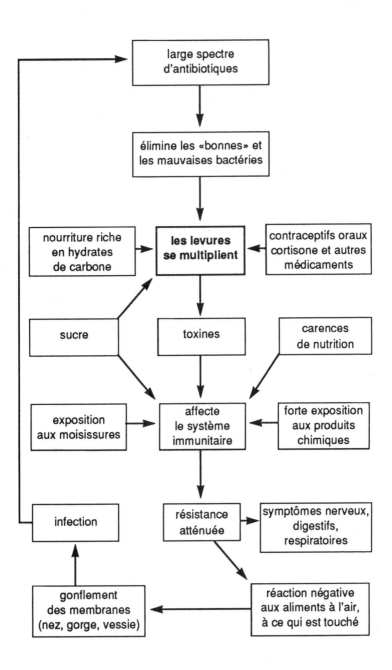

large spectre
d'antibiotiques

élimine les «bonnes» et
les mauvaises bactéries

nourriture riche
en hydrates
de carbone

**les levures
se multiplient**

contraceptifs oraux
cortisone et autres
médicaments

sucre

toxines

carences
de nutrition

exposition
aux moisissures

affecte
le système
immunitaire

forte exposition
aux produits
chimiques

infection

résistance
atténuée

symptômes nerveux,
digestifs,
respiratoires

gonflement
des membranes
(nez, gorge, vessie)

réaction négative
aux aliments à l'air,
à ce qui est touché

# Le cas
# de quelques patients

Voici ce que raconte Frances, un professeur de trente-quatre ans: «Pendant plus de dix ans, je me suis par moments sentie comme prise de vertiges et plus fatiguée qu'il ne me semblait normal. J'ai aussi été sujette à la dépression et à l'irritabilité.

«Il y a environ un an, j'ai commencé à me demander si je pouvais tenir le coup encore bien longtemps. J'étais fatiguée, épuisée, moulue... Mon mari et moi avions des difficultés à communiquer, tellement de difficultés en fait que nous sommes allés demander conseil à un psychologue.

«Je me sentais de plus en plus "mal dans ma peau", effrayée et déprimée. Cependant, mes docteurs ne trouvaient pas de cause à cet état.

«Un de mes symptômes les plus graves est une impression de flottement, de dissociation. C'est une sorte de vertige, je suis incapable de me concentrer et je perds la mémoire. Cette sensation peut durer de quelques minutes à toute une journée.

«À certains moments, j'ai des nausées et mon nez reste bouché, pourtant les tests d'allergie ne montrent aucune cause. J'ai tant d'acidité dans l'estomac que j'ai l'impression d'être enceinte et ma vie sexuelle est inexistante.»

Frances obtint 218 points au questionnaire sur les *Candida*. Fatigue, impression de flotter, constipation et changement d'humeur étaient les symptômes importants. Une revue de son histoire médicale montrait de nombreux traitements aux antibiotiques. Elle avait pris aussi des contraceptifs oraux pendant des années et avait souffert de vaginite continuelle. J'ai vu Frances pour la première fois en octobre 1983 et lui conseillai un régime sans sucre, sans levure, sans fruits ni lait et faible en hydrates de carbone. La semaine suivante, je lui prescrivis du Nystatin.

Trois semaines plus tard, Frances allait un peu mieux, mais elle semblait encore anxieuse. Elle était aussi soucieuse, car elle avait beaucoup de travail à l'école. Elle avait encore parfois cette sensation de vertige. «Je pense que quelque chose me dérange dans ce bâtiment», me dit-elle.

Lors de sa visite, le 17 décembre 1983, Frances s'écria: «Hourra! Je suis mieux. Je n'ai presque plus du tout de vertiges et je suis moins déprimée. Mon mari et moi, nous nous entendons mieux mais je me fatigue toujours beaucoup et j'ai besoin de huit heures de sommeil par nuit. J'ai augmenté la dose de Nystatin à une demi-cuiller à thé quatre fois par jour.»

À la visite suivante, le 30 janvier 1984, Frances me dit ceci: «Je vais beaucoup mieux. Cette amélioration est due à bien des choses. Je prends des doses de Nystatin plus fortes, je suis mon régime, j'élimine la pollution à la maison et je travaille dans une école où la pollution est moins grande. Je fais aussi de l'exercice et je prends des suppléments nutritionnels, une préparation de vitamines et minéraux sans levure, de l'huile de lin et de primevère, du calcium et du magnésium. Quand je triche avec mon régime, je le sais. Le sucre me donne des vertiges et le fromage me dérange.»

Parmi mes autres patients dont l'état s'est amélioré grâce à une thérapie d'élimination des levures, je peux vous présenter Marylin. Marylin est professeur de collège (Cégep au Québec), elle pèse 104 kg. Elle est venue me voir en janvier 1984, se plaignant d'urticaire géant. Cela avait commencé vingt et un mois auparavant.

Marylin, qui suivait un régime sans levure, réduit en hydrate de carbone, avec des vitamines et des minéraux, de l'huile de primevère et du Nystatin, a vu son état de santé s'améliorer grandement.

«J'ai perdu 17 kg. Je n'ai pas eu d'urticaire en trois mois. Je me sens en pleine forme, excepté lorsque je triche avec mon régime», me dit-elle lors d'une visite en mai 1984.

Un certain nombre de mes patients en pédiatrie semble aussi tirer profit d'un programme global qui comprend la thérapie antilevure. En voici un exemple: Rob, jeune garçonnet de trois ans, était continuellement enrhumé et souffrait d'otites à répétition. Il était aussi irritable et se sentait souvent malade. De plus, il avait eu plusieurs bronchites et crises d'asthme.

En février 1984, je vis Robin en consultation et lui prescrivis du Nystatin et un régime exempt de sucre et de levure. Je prescrivis aussi une préparation de multivitamines sans levure avec en suppléments de la vitamine C et du zinc. Je demandais aussi que l'on bannisse de la maison les cigarettes, les insecticides et les produits chimiques polluant l'air.

Au bout d'une semaine, Rob n'avait plus le nez qui coulait, il ne toussait plus et était devenu moins irritable. Il continue de prendre du Nystatin jusqu'au début de l'été et est resté en bonne santé.

Est-ce que la thérapie antilevure a joué un rôle dans l'amélioration de son état de santé? Je ne sais pas. Mais si je me fonde sur mon expérience avec d'autres patients, je pense que c'est le cas. Ses parents aussi.

# Que sont les levures?

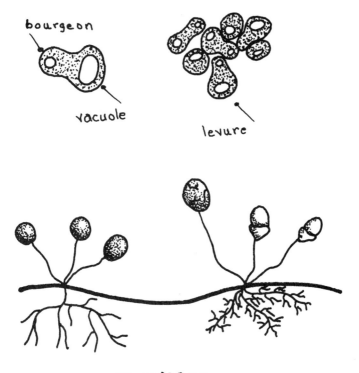

Les levures sont des organismes, des cellules simples faisant partie du règne animal et, comme leurs cousins, elles vivent autour de nous. Une famille de levures, les *Candida albicans*, vit normalement dans notre corps et plus spécialement dans le tube digestif. Cette levure possède des caractères particuliers, dont certains aspects animaux, et doit consommer pour survivre d'autres substances, comme le sucre et les graisses.

De plus, les *Candida* peuvent changer d'aspect. Elles peuvent passer de l'état unicellulaire à l'état de champignons filamenteux. Sous cet aspect, elles peuvent s'enfoncer sous la surface des muqueuses.

# Les levures vivent dans votre corps

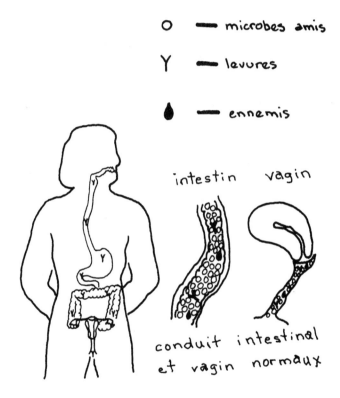

○ — microbes amis

Y — levures

◖ — ennemis

intestin      vagin

conduit intestinal et vagin normaux

Les levures vivent normalement sur les muqueuses du système digestif et dans le vagin. Il en est de même pour des milliards de microbes bénéfiques. Cependant, les bactéries pathogènes, les virus, les allergènes et autres ennemis trouvent aussi leur chemin dans tous les passages et cavités tapissés de membranes. Mais lorsque le système immunitaire est fort, ils sont incapables de passer dans les tissus les plus profonds ou dans le sang et ainsi de nous rendre malade.

# Lorsque les levures se multiplient, elles produisent des toxines

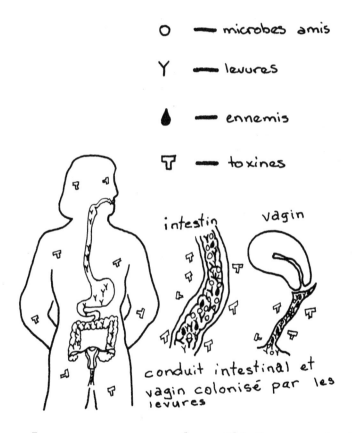

O — microbes amis

Y — levures

◖ — ennemis

T — toxines

intestin

vagin

conduit intestinal et vagin colonisé par les levures

Lorsque vous prenez des antibiotiques, surtout lorsque cela se répète souvent, de nombreux microbes bénéfiques, particulièrement ceux de l'appareil digestif, sont éliminés. Comme les levures ne sont pas atteintes par ces antibiotiques, elles s'étendent et se multiplient (le terme médical est «colonisation»).

Lorsque les levures se multiplient, elles produisent des toxines qui circulent dans votre corps et vous rendent malade.

# Le système immunitaire, comment il nous protège

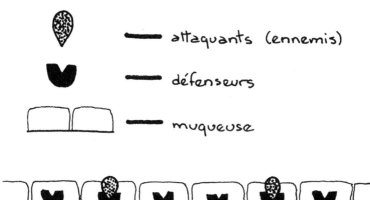

attaquants (ennemis)

défenseurs

muqueuse

Le système immunitaire est composé de nombreux défenseurs dont les globules blancs, anticorps et immunoglobulines. Certains restent juste sous la surface des muqueuses\*, prêts à se jeter sur les envahisseurs.

D'autres, y compris les lymphocites (une variété particulière de globules blancs), circulent dans les tissus les plus profonds et les organes du corps des centaines de fois par jour pour attaquer et rejeter les ennemis qui auraient pu s'y glisser.

---

\*  Une telle membrane forme la «peau» de l'intérieur des cavités du corps (bouche, nez, appareil digestif, appareil respiratoire, vagin, etc.).

# Les toxines produites par les levures affaiblissent le système immunitaire

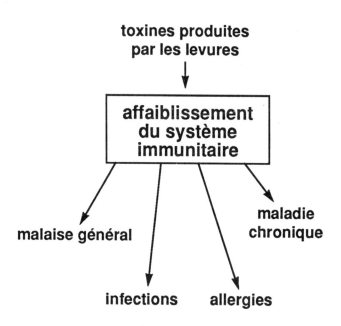

**toxines produites par les levures**

**affaiblissement du système immunitaire**

**malaise général**

**maladie chronique**

**infections**  **allergies**

Lorsque votre système immunitaire est affaibli, il se peut que vous ressentiez un malaise général et que vous soyez sujet à une infection provoquée par les levures ou à des mycoses de la peau, des ongles ou du vagin.

Vous pouvez aussi être plus susceptible de souffrir d'infections virales, microbiennes ou autres. Vous pouvez également souffrir d'allergies, d'intolérances ou être sensible aux moisissures, aux aliments ou aux produits chimiques.

Enfin, vous pouvez être affecté de troubles divers dont l'urticaire, le psoriasis, l'arthrite, la maladie de Crohn ou la sclérose en plaques.

# D'autres facteurs affaiblissent affaiblissent le système immunitaire

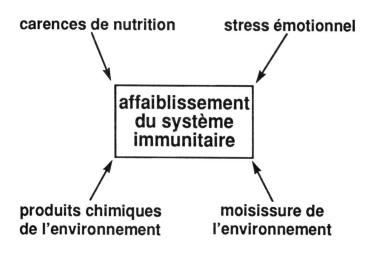

carences de nutrition

stress émotionnel

affaiblissement du système immunitaire

produits chimiques de l'environnement

moisissure de l'environnement

Les carences nutritionnelles causées par le fait que l'on ne prend pas assez ou mal les éléments nutritifs essentiels ou qu'on les absorbe mal affaiblissent aussi le système immunitaire.

Il en est de même de la vie ou du travail dans un environnement fortement pollué par les produits chimiques domestiques, fermiers ou automobiles, par le tabac, le plomb, le cadmium, le mercure ou tout produit industriel.

Si l'environnement contient de nombreuses moisissures, cela affectera aussi le système immunitaire. De même, celui-ci sera atteint par les privations ou le stress émotionnel*.

*   Ceci est décrit dans le livre de Ronald J. Glasser, *The Body is a Hero* et dans celui de Norman Cousins, *The Healing Heart*.

# Les toxines produites par les levures provoquent un malaise général

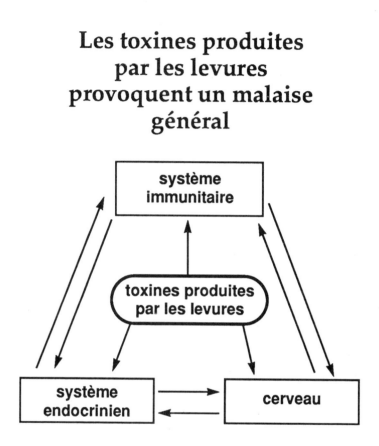

Les toxines des levures affectent le système immunitaire, le système nerveux et le système endocrinien*. De plus, ces systèmes sont tous en interaction.

En conséquence, ces toxines jouent un rôle dans les allergies, les infections urinaires et vagi-

---

\*    Hormones sexuelles, thyroïdiennes et autres.

nales, les infections de la prostate tout autant que dans la fatigue, les maux de tête, les dépressions ou autres manifestations du système nerveux.

Les toxines des levures sont fortement en cause également dans la perte d'intérêt sexuel, l'impuissance, le syndrome prémenstruel, les irrégularités des menstruations, la stérilité, les douleurs pelviennes et autres dysfonctionnements hormonaux.

# Toutes les parties
# du corps sont reliées

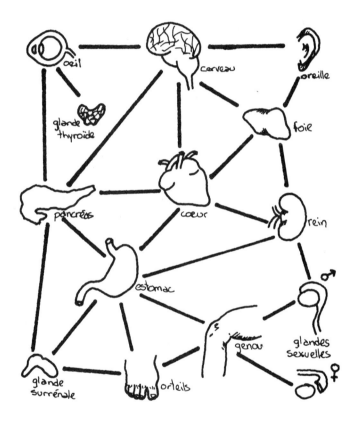

Il est évident (même si nous l'oublions souvent) que chaque partie de notre corps est reliée aux autres parties. Ainsi, lorsque les toxines produites par les levures affectent une partie de votre corps, elles produisent aussi des changements ailleurs.

# Problèmes de santé féminins

Fatigue
Maux de tête
Dépression
Constipation
Diarrhée
Ballonnements
Vaginite
Problèmes de peau
Douleurs pelviennes
Problèmes sexuels
Urticaire ou démangeaisons

Douleurs musculaires et articulaires
Crise de larmes
«Dissociation»
Perte de mémoire
Syndrome prémenstruel
Problèmes menstruels
Infertilité
Irritabilité
Engourdissement
Fourmillements
Congestion nasale

Les femmes sont davantage sujettes aux troubles relatifs aux levures que les hommes. On peut l'expliquer en raison des facteurs suivants:

1- Les changements hormonaux associés au cycle menstruel normal favorisent la croissance des levures. Les contraceptifs oraux et la grossesse font de même.

2- Les caractéristiques de l'anatomie génitale féminine rendent la femme plus sensible à la vaginite et aux infections urinaires.

3- Les femmes consultent davantage que les hommes. Elles sont par conséquent plus susceptibles de recevoir des antibiotiques pour leurs problèmes respiratoires, dermatologiques ou autres.

# Problèmes
# de santé masculins

| | |
|---|---|
| Fatigue | Impuissance |
| Dépression | Comportement |
| Maux de tête | sexuel altéré |
| Perte de mémoire | Diarrhée |
| Irritabilité | Irritabilité |
| Constipation | Ballonnements |
| Problèmes de peau | Douleurs abdominales |
| Congestion nasale | Mycose des testicules |
| Prostatite | Pied d'athlète |
| Démangeaisons | Urticaire |

Les hommes aussi peuvent être sujets aux troubles liés aux levures, en particulier ceux:

1- Qui prennent régulièrement des antibiotiques.

2- Qui consomment beaucoup de sucreries, de pain et d'alcool.

3- Qui sont dérangés perpétuellement par des mycoses des testicules, par le pied d'athlète ou par des infections mycosiques des ongles.

4- Qui sont sujets aux allergies alimentaires et respiratoires.

5- Qui se plaignent de fatigue, de dépression et de nervosité.

6- Qui ont des problèmes digestifs continuels.

7- Qui sont sensibles à l'humidité, aux produits chimiques ou au tabac.
8- Dont le comportement sexuel est altéré.
9- Dont les femmes ont des problèmes avec les levures.

# Problèmes de santé des enfants

Diarrhée
Ballonnements
Coliques
Constipation
Érythème fessier
Démangeaisons variées
Rhumes continuels
Otites
Autisme

Sensibilité aux produits chimiques
Insomnies
Irritabilité
Hyperactivité
Faible capacité d'attention
Problèmes de comportement
Problèmes d'apprentissage

Les *Candida albicans* vivent normalement dans l'appareil digestif. Lorsqu'un enfant reçoit de façon répétée des antibiotiques, les microbes bénéfiques sont éliminés et les levures se multiplient. Les toxines produites peuvent affecter les systèmes immunitaire, nerveux, digestif, respiratoire et la peau.

Les enfants peuvent donc être sujets à ces troubles liés aux levures et les problèmes de santé seront d'ordre digestif, respiratoire ou dermatologique. Les plus fréquents sont cependant ceux qui affectent le système nerveux, qu'ils soient modérés ou sévères.

# Les levures,
# le psoriasis, la sclérose
# en plaques et autres
# maladies graves

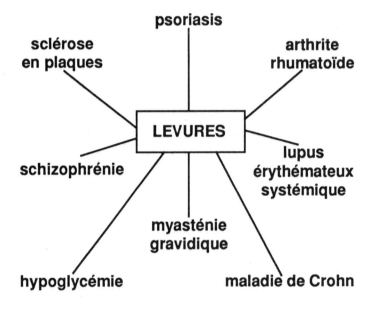

Le docteur C. Orian Truss dans son livre *The Missing Diagnosis* a décrit des patients souffrant de sclérose en plaques, de lupus, de maladie de Crohn, de sarcoïdose, de schizophrénie, de myasthénie gravidique et d'anorexie nerveuse dont le traitement antilevures a donné lieu à un rétablissement.

Le docteur Rosenberg, de l'Université du Tennessee, décrivait dans le *New England Journal of Medecine** «l'amélioration du psoriasis et de l'inflammation intestinale chez les patients traités au Nystatin oral».

Dans ma pratique personnelle, j'ai d'ailleurs constaté avec joie la réponse favorable de mes patients souffrant de maladies chroniques et supposément incurables.

Les *Candida albicans* ne sont pas «la cause» de ces maladies, mais il devient de plus en plus évident que ces pathologies sont reliées aux levures.

---

*     Vol. 308: 101, 1983

# Vos problèmes de santé sont-ils liés aux levures?

## Suspectez le diagnostic* d'après votre histoire médicale

1- Prise fréquente et répétée d'antibiotiques
2- Fatigue, faiblesse, impression d'être exténué
3- Dépression, voire dépression suicidaire
4- Problèmes digestifs
5- Syndrome prémenstruel
6- Perte de la réponse ou de l'intérêt sexuels
7- Nervosité et irritabilité
8- Sensibilité aux produits chimiques
9- Malaise général sans cause précise

## Confirmez-le par votre réponse au traitement

1- Régime spécial
2- Médication antifongique: Nystatin ou Nizoral prescrits par votre médecin
3- Substances antifongiques sans ordonnance (prescription):
   a- Les produits à base d'acide caprylique, par exemple: Capricin™, Caprystatin®, Kaprycidin A, Candistat™ 300

---

*    De nouveaux tests de laboratoire peuvent être utiles, y compris les études d'immunoglobines (voir *The Yeast Connection*; pages 315-317). Cependant, l'histoire médicale et la réponse au traitement antilevure vous confirmeront le diagnostic.

b- Ail et produits à base d'ail
c- Lactobacillus, acidophillus et autres bactéries bénéfiques
d- Huile de lin et de primevère et autres acides gras essentiels
e- Vitamines et suppléments minéraux
f- Extraits de *Candida* (immunothérapie)

# Questionnaire relatif aux levures (adulte)

Répondre aux questions et additionner les points vous permettra de constater si les levures contribuent à vos problèmes de santé. Cependant, vous n'obtiendrez pas automatiquement une réponse affirmative ou négative.

Pour chaque réponse affirmative de la section A, encerclez le nombre de points dans cette section. Faites le total de vos points et inscrivez-le à la fin de la section A. Puis passez à la section B et C et faites de même.

Faites le total des trois sections pour obtenir le grand total.

## Section A: histoire médicale

Points

| | |
|---|---|
| 1- Avez-vous pris des tétracyclines (Sumycin®, Panmycin®, Vibramycin®, Mynocin®, etc.) ou d'autres antibiotiques pour l'acné pendant un mois ou plus? | 35 |
| 2- Avez-vous, à quelque moment de votre vie, pris un large éventail d'antibiotiques* pour des infections respiratoires, urinaires ou autres (pendant deux mois ou plus ou pendant de courtes périodes, quatre fois ou plus dans l'année)? | 35 |

* Par exemple Keflex®, ampicillin, amoxillin, Ceclor®, Bactrim® et Septra®. Ces antibiotiques tuent les «microbes bénéfiques» en même temps que ceux responsables de l'infection.

3- Avez-vous pris un large éventail d'anti-biotiques*, même en une seule période?     6

---

4- Avez-vous, à quelque moment que ce soit dans votre vie, souffert de façon persis-tante de prostatite, de vaginite ou d'autres problèmes affectant vos organes génitaux?     25

---

5- Avez-vous été enceinte?
    Deux fois ou plus?     5
    Une fois?     3

---

6- Avez-vous pris des contraceptifs oraux?
    Pendant plus de deux ans?     15
    De six mois à deux ans?     8

---

7- Avez-vous pris du prednisone, du Deca-dron® ou un autre type de cortisone?
    Durant plus de deux semaines?     15
    Durant deux semaines ou moins?     6

---

8- L'exposition aux parfums, aux insec-ticides, aux odeurs de manufactures ou d'autres produits chimiques provoque
    des symptômes sévères ou modérés?     20
    des symptômes mineurs?     5

---

9- Vos symptômes sont-ils plus graves quand il fait humide et lourd ou dans des lieux où se développent des moisissures?     20

---

10- Avez-vous souffert du pied d'athlète, de teigne, de démangeaisons des testicules ou d'autres mycoses chroniques de la peau ou des ongles?
Ces infections ont été...
    sévères ou persistantes?     20
    Mineures ou modérées?     10

---

\*    Par exemple Keflex®, ampicillin, amoxillin, Ceclor®, Bactrim® et Septra®. Ces antibiotiques tuent les «microbes bénéfiques» en même temps que ceux responsables de l'infection.

| | |
|---|---|
| 11- Avez-vous des envies de sucre? | 10 |
| 12- Avez-vous des envies de pain? | 10 |
| 13- Avez-vous des envies de boissons alcoolisées? | 10 |
| 14- La fumée du tabac vous dérange-t-elle vraiment? | 10 |
| **Total des points de la section A** | _____ |

## Section B: symptômes majeurs

Pour chacun des symptômes, inscrivez le nombre de points.

Si un symptôme est occasionnel ou mineur............ 3 points
Si un symptôme est fréquent ou modéré................. 6 points
Si un symptôme est sévère ou débilitant................. 9 points

Faites le total de vos points, inscrivez-le à la fin de la section B.

| | Points |
|---|---|
| 1- Fatigue ou léthargie | |
| 2- Sensation d'être «vide» | |
| 3- Perte de mémoire | |
| 4- Sensation de dissociation | |
| 5- Dépression | |
| 6- Incapacité de prendre des décisions | |
| 7- Engourdissement, brûlements ou picotements | |
| 8- Douleurs musculaires ou faiblesses | |
| 9- Douleurs ou gonflement des articulations | |
| 10-Douleurs abdominales | |
| 11-Constipation | |

12-Diarrhée

13-Ballonnement, renvois, gaz intestinaux

14-Démangeaisons, décharges, brûlements
    vaginaux désagréables

15-Démangeaisons ou brûlements vaginaux persistants

16-Prostatite

17-Impuissance

18-Perte de désir sexuel

19-Endométriose ou stérilité

20-Crampes ou autres irrégularités menstruelles

21-Syndrome prémenstruel

22-Crise d'anxiété ou de larmes

23-Mains ou pieds froids ou frilosité

24-Tremblement ou irritation quand vous avez faim

**Total des points de la section B** ___93___

## Section C: autres symptômes*

Pour chacun de vos symptômes, inscrivez le nombre de points correspondants.

Si un symptôme est occasionnel ou mineur............ 1 point
Si un symptôme est fréquent ou modéré................ 2 points
Si un symptôme est sévère ou débilitant................ 3 points

                                                                      Points

1- Somnolence

2- Irritabilité ou craintivité

3- Mauvaise coordination

4- Incapacité de concentration

5- Changements d'humeur fréquent

6- Maux de tête

| | |
|---|---|
| 7- Étourdissement ou perte d'équilibre | |
| 8- Pression au-dessus des oreilles... sensation d'avoir la tête gonflée | |
| 9- Tendance à se faire des ecchymoses | |
| 10-Éruptions ou démangeaisons chroniques | |
| 11-Engourdissement, picotements | |
| 12-Indigestion ou brûlures d'estomac | |
| 13-Sensibilité à la nourriture ou intolérance | |
| 14-Mucus dans les selles | |
| 15-Démangeaisons rectales | |
| 16-Bouche ou gorge sèche | |
| 17-Aphtes buccaux | |
| 18-Mauvaise haleine | |
| 19-Odeur des pieds, du corps ou des cheveux persistante | |
| 20-Congestion nasale ou nez qui coule | |
| 21-Démangeaisons nasales | |
| 22-Maux de gorge | |
| 23-Laryngite ou extinction de voix | |
| 24-Toux ou bronchite à répétition | |
| 25-Douleurs dans la poitrine | |
| 26-Respiration asthmatique ou essoufflement | |
| 27-Besoin fréquent d'uriner | |
| 28-Brûlure à la miction | |
| 29-Points noirs devant les yeux ou vision perturbée | |
| 30-Yeux qui brûlent ou larmoient | |
| 31-Infections auriculaires à répétition ou liquide dans les oreilles | |
| 32-Maux d'oreilles ou surdité | |

**Total des points de la section C** ———

**Grand total** ———

Le grand total des points vous aidera, vous et votre médecin, à déterminer si vos problèmes de santé sont liés aux levures. Le total des points pour les femmes sera plus élevé que pour les hommes puisque sept questions s'adressent exclusivement à elles.

Les problèmes de santé sont **presque certainement** reliés aux levures chez les femmes dont le nombre total de points dépasse 180 et chez les hommes lorsqu'il dépasse 140.

Ces problèmes sont **probablement** reliés aux levures lorsque le total des points dépasse 120 chez les femmes et 90 chez les hommes.

Ces problèmes sont **possibles** lorsque le total des points dépasse 60 chez les femmes et 40 chez les hommes.

Lorsque le total est inférieur à 60 chez les femmes et à 40 chez les hommes, il est moins probable que les levures causent des problèmes.

# Questionnaire relatif
# aux levures (enfant)

Encerclez le nombre de points correspondant à chaque réponse positive.

Faites le total de vos points et reportez-le à la fin du questionnaire.

|  | Points |  |
|---|---|---|
| 1- Pendant les deux ans qui ont précédé la naissance de votre enfant, avez-vous souffert régulièrement de vaginite, d'irrégularités menstruelles, de tensions prémenstruelles, de fatigue, de maux de tête, de dépression, de troubles gastriques ou de malaise général? | 30 | |
| 2- L'enfant a-t-il souffert du muguet? (Inscrivez 10 points si le cas était mineur, 20 s'il était sévère.) | 10 | 20 |
| 3- L'enfant a-t-il souffert fréquemment d'érythème fessier quand il était bébé? (Inscrivez 10 si le cas était mineur, 20 s'il était sévère.) | 10 | 20 |
| 4- Lorsqu'il était bébé, l'enfant a-t-il souffert de colique et a-t-il été irritable pendant des périodes de plus de trois mois? (Inscrivez 10 si le cas était mineur, 20 s'il était sévère.) | 10 | 20 |

5- Les symptômes de l'enfant sont-ils plus graves lorsqu'il fait humide ou dans des lieux humides où se développent des moisissures? 20

6- L'enfant a-t-il souffert du pied d'athlète de façon répétée ou de mycoses chroniques de la peau ou des ongles? 30

7- L'enfant a-t-il souffert d'urticaire ou d'eczéma récurrent ou d'autres problèmes dermatologiques? 10

8- L'enfant a-t-il reçu:

a- Quatre traitements ou plus d'antibiotiques durant la dernière année ou a-t-il reçu un traitement prophylactique aux antibiotiques continu? 80

b- Huit traitements d'antibiotiques à large spectre... (tels amoxicillin, Keflex®, Septra®, Bactrim® ou Ceclor®) pendant les trois dernières années? 50

9- L'enfant a-t-il souffert des oreilles de façon répétée? 10

10- A-t-on inséré des tubes dans les oreilles de l'enfant? 10

11- L'enfant a-t-il été reconnu hyperactif? (Inscrivez 10 dans un cas mineur, 20 dans un cas modéré à sévère.) 10     20

12- L'enfant a-t-il des problèmes d'apprentissage (même si son développement de première enfance a été normal)? 10

13- La capacité d'attention de l'enfant est-elle faible? 10

14-L'enfant est-il toujours irritable, malheureux et difficile à contenter? 10

15-L'enfant a-t-il souffert de façon per-
sistante de troubles digestifs, constipation, diarrhée, ballonnement ou gaz
intestinaux? (Inscrivez 10 si le cas est
mineur, 20 s'il est modéré, 30 s'il est
majeur.) 10 20 30

16-A-t-il souffert de congestion nasale, de
toux ou d'essoufflement asthmatique? 10

17-L'enfant est-il plus fatigué que d'habi-
tude ou malheureux ou déprimé (Inscrivez 10 si le cas est mineur, 20 s'il est
sévère.) 10 20

18-L'enfant a-t-il souffert fréquemment de
maux de tête, de douleurs abdominales
ou musculaires? (Inscrivez 10 si le cas
est mineur, 20 s'il est sévère.) 10 20

19-L'enfant a-t-il des envies très grandes de
sucreries? 10

20-L'exposition aux parfums, aux insec-
ticides, aux gaz ou aux produits chimiques provoque-t-elle des symptômes
modérés à sévères? 30

21-Est-il sérieusement dérangé par la fumée
du tabac? 20

22-Avez-vous l'impression que l'enfant
n'est pas bien, même si les tests ou
études n'ont rien révélé? 10

## Total des points _____

Il est **possible** que les levures jouent un rôle dans les problèmes de santé des enfants dont le total des points atteint 60 ou plus.

Les levures jouent **probablement** un rôle dans les problèmes de santé des enfants dont le total des points atteint 100 ou plus.

Les levures jouent **certainement** un rôle dans les problèmes de santé des enfants dont le total des points atteint 140 ou plus.

# Comment résoudre
# les problèmes de santé
# liés aux levures

## 1- ÉVITEZ CERTAINS ALIMENTS

a- Le sucre et les aliments vides (*junk food*).
b- Les produits contenant des levures pendant une semaine, puis essayez.
c- Les fruits pendant trois semaines, puis essayez avec prudence.

## 2- CONSOMMEZ DES ALIMENTS COMPLETS

Légumes verts, poisson, poulet, avec des quantités limités de grains complets et d'autres légumes.

Au fur et à mesure que votre état s'améliore, consommez des hydrates de carbone plus complexes.

# 3- PRENEZ DES MÉDICAMENTS ANTIFONGIQUES

a- Sur ordonnance: Nystatin et Nizoral
b- Sans ordonnance: produits à base d'acide caprylique, ail et lactobacillus acidophilus

# 4- PRENEZ DES SUPPLÉMENTS NUTRITIONNELS

Vitamines sans levure, minéraux, huile de lin et de primevère

## 5- CHANGEZ VOS HABITUDES

Cessez de fumer, évitez les boissons alcoolisées, les produits chimiques et faites de l'exercice.

## 6- CHERCHEZ DE L'AIDE

Cherchez de l'aide auprès d'un médecin compréhensif et auprès d'autres professionnels et groupes de soutien qui ont les connaissances nécessaires et qui s'intéressent aux problèmes de santé liés aux levures.

# Les aliments à consommer
# et à éviter

## Les aliments
## que vous pouvez consommer

tous les légumes frais

viandes, poissons, œufs

eau

eau de source

Perrier

THON THON

céréales entières, blé, riz brun, orge

noix, graines, huiles non traitées

beurre d'acajou

huile de lin

galettes de riz

Riz à grains longs

blé

# Les aliments que vous devez éviter

aliments traités et emballés

Sucre et aliments contenant du sucre

viandes traitées et fumées

champignons et truffes*

pains levés et pâtisseries*

---

\* Essayez les aliments contenant de la levure après une semaine. S'il n'y a pas de réaction, vous pouvez en consommer avec modération.

boissons
alcoolisées

levure *

tous les fruits **

jus de
fruits

fruits
secs
et
confits

Pour plus de détails, consultez les pages 67-107 de *The Yeast Connection*, 3$^e$ édition (édition de poche, 1986).

---

\*    Essayez les aliments contenant de la levure après une semaine. S'il n'y a pas de réaction, vous pouvez en consommer avec modération.

\**   Essayez les fruits après trois semaines. Si vous les tolérez, consommez-en avec modération.

# Les médicaments

**Nystatin** (Mycostatin®, Nilstat® et autres)
- Une moisissure que l'on trouve dans le sol, découverte en 1955
- Tue les levures par contact
- Est peu absorbée dans le sang
- Est sans risques; d'ordinaire bien tolérée
- Doit être prise de 3 à 12 mois….parfois plus longtemps

**Ketoconazole** (Nizoral®)
- Un médicament antifongique très efficace
- Est absorbé dans le sang
- Est efficace contre les levures dans les tissus profonds
- Nécessite des tests sanguins réguliers pour contrôler le fonctionnement du foie.

**Amphotericin B**
- Un médicament oral efficace et sans risques produit par Squibb, nom de commerce Fungizone
- N'est pas actuellement disponible aux États-Unis
- Peut être obtenu en Europe .

**Médicaments pouvant être obtenus sans ordonnance.**

Les produits à base d'acide caprylique*
- (Capricin®, Caprystatin®, Kaprycidin-A, Candistat™ 300)
- L'ail et les produits contenant de l'ail
- Les préparations de *Lactobacillus acidophilus* et autres bactéries bénéfiques
- La tisane Pau D'Arco ou de taheebo*

## LES VITAMINES, MINÉRAUX ET AUTRES SUPPLÉMENTS NUTRITIFS

Prenez des préparations de vitamines et de minéraux, comprenant des vitamines A, C, D, E et du complexe B (sans levure), du calcium/magnésium, zinc, sélénium et autres minéraux.

Je recommande aussi du calcium et du magnésium, ces suppléments étant particulièrement important chez les femmes avant et après la ménopause.

**Les acides gras essentiels.** L'huile de lin, l'huile de primevère et autres huiles pressées à froid donnent à votre corps les éléments nutritifs essentiels pour surmonter les problèmes de santé liés aux levures.

---

* Certains patients et médecins ont trouvé ces substances utiles.

*Le lactobacillus acidophilus*. On trouve cette bactérie dans l'intestin des personnes en bonne santé. Si vous avez pris des antibiotiques, elle est éliminée et les levures se multiplient.

Le yogourt* préparé à la maison ou les préparations de bactéries bénéfiques aident à réduire la croissance des levures dans le tube digestif. Vous trouverez ces produits dans la plupart des magasins d'aliments naturels et dans certaines pharmacies.

**L'ail**. L'ail ou l'extrait d'ail aide aussi à combattre les *Candida*.

---

\*     Quelques yogourts commerciaux sans fruits et sans sucre peuvent être satisfaisants.

# Ce que vous devez faire
# pour retrouver
# la santé

Si vous souffrez d'une maladie chronique liée aux levures, il y a de fortes chances pour que plusieurs facteurs soient en cause. Vous êtes comme un chameau trop chargé. Non seulement vous devez suivre un régime spécial et prendre les médicaments prescrits, mais il faudra faire bien d'autres choses pour retrouver votre santé.

# Suggestions de lecture

Si après avoir lu le présent livret, vous avez l'impression que vos problèmes de santé sont liés aux levures, vous aurez besoin d'aide et de renseignements supplémentaires. Voici quelques suggestions:

1- Procurez-vous un exemplaire de *The Yeast Connection*. Lisez-le complètement et relisez-le. Vous pouvez vous le procurer dans les magasins d'aliments naturels ou les pharmacies.

2- Apportez le livre à votre médecin. Peut-être est-il au courant du rôle néfaste que jouent les toxines produites par les *Candida albicans*. Il travaillera alors avec vous.

Les livres provenant d'autres sources sont les suivants:

1- *The Missing Diagnosis*, C. Orian Truss M.D. Birmingham, AL.

2- *Notes on the Yeast Problem*, Sidney M. Baker, M.D., New Haven, CT, 30 pages.

3- *Candida Albicans Cookbook*, Pat Connoly. Keats publishing Company, New Canaan, CT.

4- *Candida Albicans and the Humane Condition*, Ray Wunderlich, M.D. et D. Kalita, 1984, Keats Publishing Co., New Canaan, CT, 32 pages.

5- *Help! I feel awful!*, Howard E. Hagglund, M.D., Norman, OK.

# Vos problèmes sont-ils causés par les levures ?

| | OUI | NON |
|---|---|---|
| 1. Avez-vous pris des doses répétées d'antibiotiques? | ❏ | ❏ |
| 2. Souffrez-vous de tension prémenstruelle, de douleurs abdominales, de problèmes menstruels, de vaginite, de prostatite, de perte d'appétit ou de sensibilité sexuelle? | ❏ | ❏ |
| 3. L'exposition au tabac, au parfum et à d'autres odeurs chimiques provoque-t-elle chez vous des symptômes moyens ou graves? | ❏ | ❏ |
| 4. Avez-vous des «rages» de sucre, de pain ou de boissons alcoolisées? | ❏ | ❏ |
| 5. Souffrez-vous de troubles digestifs fréquents? | ❏ | ❏ |
| 6. Vous sentez-vous fatigué, déprimé, «à bout de nerf»? Avez-vous des problèmes de mémoire? | ❏ | ❏ |
| 7. Souffrez-vous d'urticaire, de psoriasis ou d'autres affections cutanées chroniques? | ❏ | ❏ |
| 8. Avez-vous déjà pris des contraceptifs oraux? | ❏ | ❏ |

9. Souffrez-vous de maux de tête, de douleurs musculaires ou articulaires ou de troubles de coordination? ❑ ❑

10. Vous sentez-vous malade sans qu'on en ait trouvé la cause? ❑ ❑

*Résultats*

Trois ou quatre réponses affirmatives: les levures sont **possiblement** reliées à vos symptômes.

Cinq ou six réponses affirmatives: les levures sont **probablement** reliées à vos symptômes.

Sept réponses affirmatives ou plus: vos symptômes sont **presque certainement** reliés aux levures.

Achevé d'imprimer
en mars 1991 sur les presses
des Ateliers Graphiques Marc Veilleux Inc.
Cap-Saint-Ignace, Qué.